Horst Haitzinger

Bonnoptikum

Horst Haitzinger

Bonnoptikum

Vorwort von
Paul Mommertz

Bruckmann München

Umschlag-Vorderseite: Unter Verwendung des Motivs
»Mister President, um böswilligen Gerüchten über einen
deutschen Antiamerikanismus entgegenzutreten…«

Umschlag-Rückseite: »Aerobic-Center Bonn«

© 1983 Verlag F. Bruckmann KG, München
Alle Rechte vorbehalten
Herstellung: F. Bruckmann KG, München
Graphische Kunstanstalten
Printed in Germany
ISBN 3 7654 1899 4

Inhalt

7   Vorwort von Paul Mommertz

11   Vor der Wende

31   Nach der Wende

55   Die großen Brüder

67   Familiäres

77   Fünf vor zwölf

97   Goethe-Jahr, Luther-Jahr, Wagner-Jahr

111   Fehlprognosen

121   Aus dem Skizzenbuch

127   Biographie Horst Haitzinger

Die Konferenz des Karikaturisten

Ein Vorwort

Ein schöner Morgen. Horst Haitzinger betritt den Balkon seiner Schwabinger Etagenwohnung. Der Frühstückstisch ist gedeckt. Horst Haitzinger nimmt Platz. Ein gekochtes Ei? fragt seine Frau. Danke, erwidert er, nimmt das Ei und köpft es. Dabei fällt sein Blick auf die Morgenzeitung. Schlagzeile:

BONNER DISKUSSION UM
ANTIAMERIKANISMUS

Horst Haitzinger, den Löffel mit ein wenig von dem Ei vor dem Munde schweben lassend, hält nachdenklich inne.
Und beruft die Morgenkonferenz ein.
In seinem Kopf versammeln sich die Konferenzteilnehmer sowie der Protokollführer.

Diskussionsleiter Haitzinger:
Antiamerikanismus! Ein kontroverses Thema! Von uns noch nicht behandelt! Wir sollten es aufgreifen! Wortmeldungen?

Der Vertragszeichner Haitzinger:
Ich brauche ein ganzseitiges Farbblatt für die Wochenzeitschrift BUNTE. Liefertermin Mittwoch.

Der Prophet Haitzinger:
Die politische Aussage des Blattes muß auch in drei Wochen noch aktuell sein, denn erst dann erscheint das Heft im Handel. Mehr als drei Fehlprognosen im Jahr kann ich mir nicht leisten.

Der homo politicus Haitzinger:
Der ganze Streit um den Antiamerikanismus beruht wieder mal auf dieser idiotischen parteipolitischen Polarisierung. Ich lasse mich von keiner Seite vereinnahmen. Ich bleibe Einzelkämpfer. Deckt sich aber meine Meinung mit der irgendeines anderen, dann um so besser. Anlegen darauf werde ich es nicht.

Der politische Analytiker Haitzinger:
Weder muß Bündnistreue in Vasallentreue ausarten, noch ist Bündniskritik schon Bündnisverrat.

Der Ideenmacher Haitzinger:
Exakt. Genau für diese Aussage suche ich die adäquate karikaturistische Bildformel.

Der Texter Haitzinger:
Und ich suche dafür den adäquaten Text.

Der Pedant Haitzinger:
Mit Betonung immer auf adäquat, was bekanntlich heißt: angemessen. Pfusch wird nicht zugelassen. Weder Witz auf Kosten der Aussage noch Aussage ohne Witz. Ich bin weder Gagman noch Prediger.

Der Humorist Haitzinger:
Richtig. Aber die Leute wollen was zum Lachen haben. Und ich will es auch.

Der Kommunikationsforscher Haitzinger:
Lachen erhöht erfahrungsgemäß sowohl Aufnahmebereitschaft wie Lernbereitschaft. Gibt es bei der Karikatur nichts zu lachen, kann man es ebensogut lassen.

Der Moralist Haitzinger:
Man darf es sich aber auch nicht zu leicht machen. Nur blödeln ist blöde. Es darf *gedacht* werden!

Der Diskussionsleiter Haitzinger:
Zur Sache, meine Herren – was machen wir denn
nun?

Der Zeichner Haitzinger:
Mir kommt es auf ein schönes, originelles, quasi
dankbares Bildmotiv an, bei dem sich meine
bekannten graphischen Fähigkeiten und meine
berühmte szenische Phantasie voll entfalten
können. Neben dem täglichen Brot der
Tageskarikatur leiste ich mir gern auch mal ein
opulentes Festmahl, zu dem ich mein verehrtes
Publikum besonders herzlich einlade.

Der Archivar Haitzinger:
Vorsicht! Die Leute haben ein gutes Gedächtnis. Sie
lieben das Neue. Fünftausend Bildideen haben wir
schon verbraucht. Dennoch dürfen wir uns nicht
wiederholen.

Der Karikaturtheoretiker Haitzinger:
Immer erlaubt sind die bewährten
Standardsituationen: Sprechzimmer, Ehebett,
Abgrund. Oder die vertrauten Symbole:
Bundesadler, Freiheitsstatue, Roter Bär. Oder die
beliebten Requisiten: Nudelholz, Friedenspalme,
Rettungsring. Die Leute amüsieren sich doppelt –
übers Wiedersehen und über die unverhoffte, neue
Verwendung.

Der faule Hund Haitzinger:
Genau. Warum sich anstrengen? Am meisten
lachen die Leute doch immer wieder über die
Sahnetorte.

Der Perfektionist Haitzinger:
Aber entschuldige mal, auf diese Leute bin ich ja
Gott sei Dank nicht angewiesen. Mein Publikum
beißt gern mal in den sauren Apfel.

Die übrigen Haitzinger (außer dem faulen Hund Haitzinger):
Jawohl! Bravo! Sehr richtig! Hört, hört!

Der fleißige Haitzinger:
Mir scheint, wir könnten es auf diesem Blatt wieder mit einer ganzen Handvoll Personen der Zeitgeschichte zu tun haben. Das würde mich reizen. Das macht mehr Spaß. Es bieten sich hochinteressante Köpfe an, ich meine physiognomisch, und wer weiß, wie lange sie noch leben, ich meine politisch.

Der Ideenmacher Haitzinger:
Moment! Da könnte man doch ... aber ja ... natürlich! Warum nicht? Meine Herren – ich hab's! Und alle Anwesenden unter einem Hut!

Der Diskussionsleiter:
Wenn es so ist, worauf warten wir noch? Ans Werk! Die Sitzung ist geschlossen.

Horst Haitzinger, am Frühstückstisch, löst sich aus seiner momentanen Erstarrung und kostet vom Ei. Ist das Ei gut? fragt die Gattin. Horst Haitzinger, in Gedanken, nickt: Gut? Das Ei des Columbus, meine Liebe!
Der geneigte Leser findet es auf Seite 19.

Konferenzprotokoll:
Paul Mommertz

Vor der Wende

»Bin gespannt, wie lang er das durchhält.«

März 1982: Die Differenz zwischen Bundeskanzler Schmidt
und seiner Partei wird immer größer.

Brutus 1982?

Mai 1982: Die FDP steuert das Ende der
SPD-FDP-Koalition an.

»Sagten Sie soeben, ich hätte Diät nötig?!?!«

Februar 1982: ÖTV-Chef Klunker droht seinem Verhandlungspartner,
Innenminister Baum, im Tarifstreit mit Kampfmaßnahmen.

»Mister President, um böswilligen Gerüchten über einen
deutschen Antiamerikanismus entgegenzutreten...«

Juni 1982: Präsident Reagan besucht Europa.

München, 1. 4. 82: Dem umgekehrten Beispiel des US-Präsidenten folgend,
hat sich F. J. S. überraschend entschlossen, Schauspieler zu werden.
Probeaufnahmen bewiesen, daß Strauß als Filmstar
mindestens solche Erfolgschancen hat wie Reagan als Politiker.

»Ich glaube, es ist die Villa eines gewissen Michel Deutsch!«

Mai 1982: Führende Politiker aller Parteien beklagen
eine wachsende Diskrepanz zwischen Leistungsbereitschaft
und Anspruchsdenken.

Helmut sein Milieu!

Juni 1982: Der neue Finanzminister Lahnstein soll den
Staatshaushalt sanieren.

Bonner Dschungel

Juni 1982: Bei den Landtagswahlen in Hamburg und Hessen gewinnen
die Grünen auf Kosten von SPD und FDP.

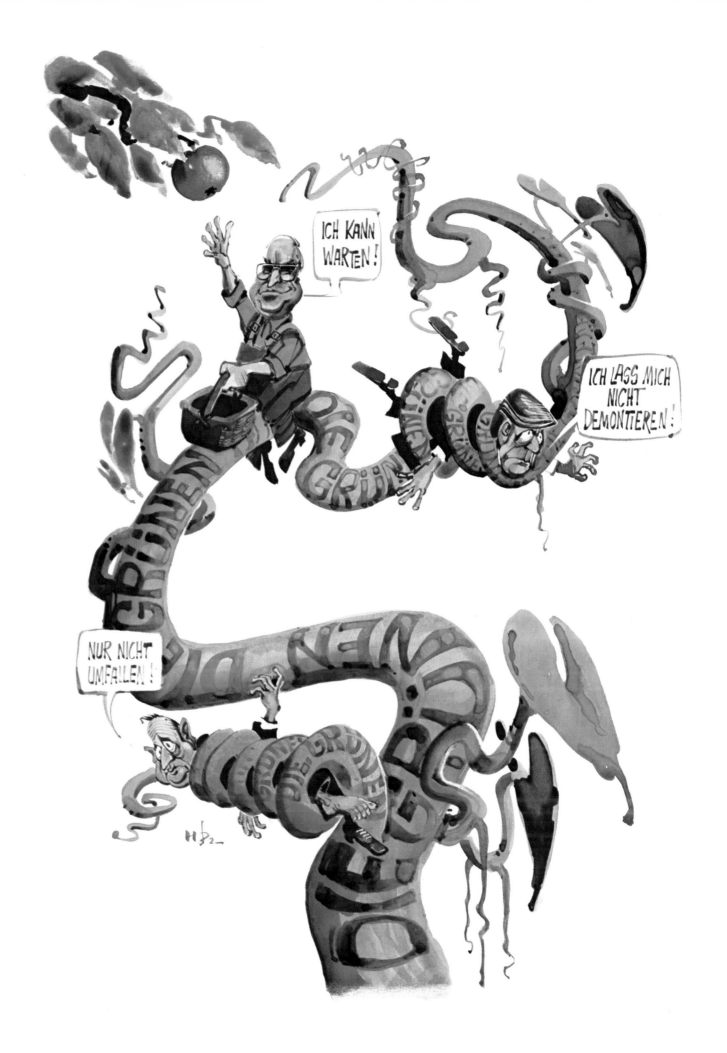

Die letzten Tage einer Koalition
(frei nach Salvador Dalí)

Juli 1982: Die Auflösungserscheinungen in der sozial-liberalen
Koalition werden immer stärker.

Nach der Wende

»Hallo, liebe Freunde, willkommen in Helmuts Disco, wir haben hier
ein irres Programm für die nächsten Jahre…«

Oktober 1982: Helmut Kohl ist neuer Bundeskanzler.

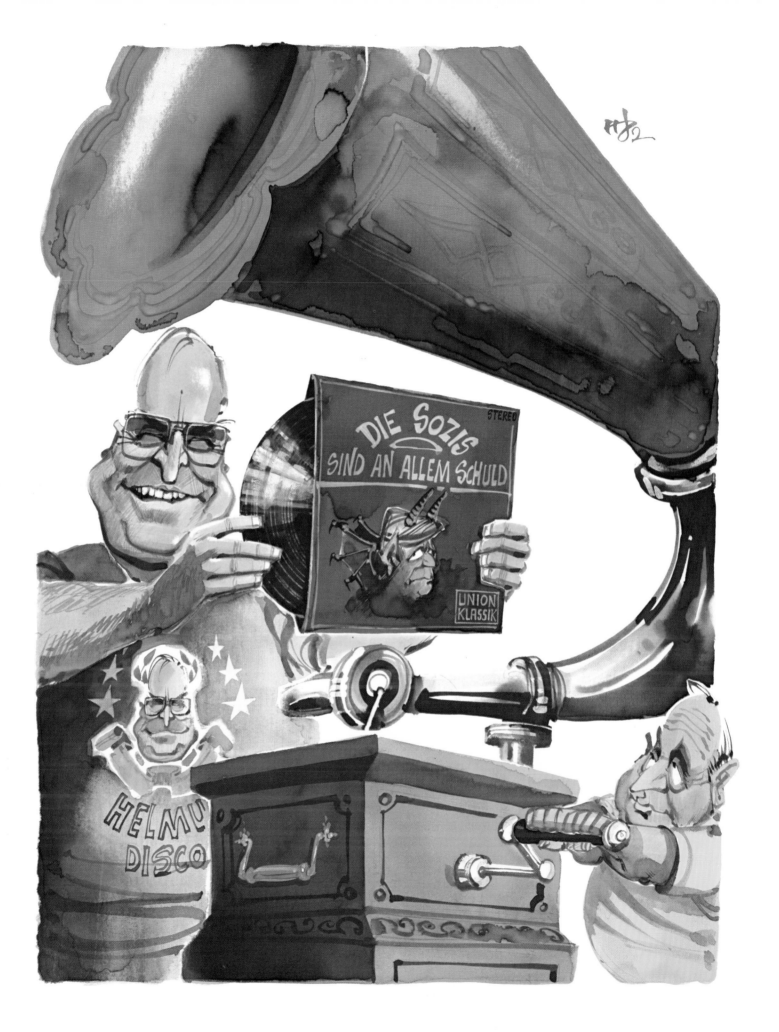

Der schwarze Erdteil

Oktober 1982: Die bayerischen Landtagswahlen bringen der CSU
wieder eine überwältigende Mehrheit.

November 1982: Es ist fraglich, ob Bundespräsident Carstens die von der Regierung geplanten
Neuwahlen als verfassungskonform akzeptiert.

»Jetzt kann ich mich überhaupt nicht
mehr entscheiden!«

Februar 1983: Der Wahlkampf wird zunehmend heftiger,
E.T. bleibt das Filmthema der Saison.

Mauer-Blüm(chen)

November 1982: Sozialminister Blüm propagiert vergebens
Lohnpausen zur Ankurbelung der Wirtschaft.

Beamter in Not

Oktober 1982: Der Beamtenbund wehrt sich heftig
gegen ein sogenanntes Lohnopfer.

»Also Vogel, mit Parteiflügeln bist du versorgt,
jetzt flieg!«

Dezember 1982: Hans Jochen Vogel ist Kanzlerkandidat der SPD.

»So, jetzt such' dir deinen Schutzengel aus!«

März 1983: Nach einem teilweise sehr verletzend geführten Wahlkampf
steht der Bundesbürger am 6. März 1983 vor der Entscheidung.

»Keine Angst, Liebling, es ist jemand
aus unserer Familie!«

Mai 1983: Unmittelbar nach der Regierungsbildung entbrennt ein
heftiger Streit über die Deutschland- und Außenpolitik
zwischen FDP und CSU.

»…auch die plumpen Tricks der etablierten Parteien
werden uns Grüne nicht täuschen…«

März 1983: Die Grünen ziehen in den Bundestag ein.

Was ist dran am Aufschwung?

Die großen Brüder

April 1982: Die wachsende Friedensbewegung kann leider nur
auf die Natostaaten Druck ausüben.

Restaurant »Brot für die Welt«

September 1982: Die Sowjetunion, Frankreich und die USA
sind die größten Waffenlieferanten der Dritten Welt.

»…nein, du störst überhaupt nicht, Leonid, grad haben
Ronald und ich von dir gesprochen.«

August 1982: Wegen des geplanten amerikanischen
Röhrenembargos kommt es zu heftigen Differenzen zwischen
der EG und den USA.

April 1983: Der neue Kremlchef Andropow signalisiert sein Interesse
an einem Treffen mit Präsident Reagan.

Pitt und Napoleon im Streit um die Teilung der Welt.

Karikatur von Gillray 1805.

»Wir sind doch Partner, Mister Weinberger, oder?«

Juni 1983: US-Verteidigungsminister Weinberger
besucht die Bundesrepublik.

Familiäres

»…17. Juni? Da hat doch dieser Stauffendorf
den Hitler umgebracht…«

Juni 1982: Eine Umfrage ergibt, daß ein Großteil
der Bundesbürger nicht mehr genau weiß, worauf sich der
zum Feiertag erklärte 17. Juni bezieht.

»Mußte denn Papi unbedingt beim Gondoliere
mit seinen Einsparungen anfangen?!«

»…meinetwegen noch einen atomaren Gegenschlag,
Schatz, aber dann marsch ins Bettchen!«

24. Dezember 1982

»Bedaure, aber Sie bilden sich das nicht ein, es ist so!!!«

Dezember 1982: Illegale Parteienfinanzierung, Neue-Heimat-Skandal
und die Flickspendenaffäre fördern die Staatsverdrossenheit.

Fünf vor zwölf

…Luftverschmutzung – tick, Meeresverseuchung – tack,
Regenwaldrodung – tick, Baumsterben – tack,
Ozonschichtzerstörung – tick…

»Na also, die Regierung hat sich ja schon etwas
gegen den sauren Regen einfallen lassen!«

Mai 1982: Die Maßnahmen gegen das Baumsterben beschränken
sich auf wirkungslose Gesetzentwürfe.

»Tausend neue Arbeitsplätze, man muß das
Waldsterben auch mal positiv sehen!«

Herzliche Grüße aus dem Altmühltal

Februar 1983: Die Bundesrepublik beschließt den
Weiterbau des Rhein-Main-Donau-Kanals.

»…diesmal hat sie sich einen Fisch aus
der Elbe andrehen lassen.«

»Und das, mein Kind, ist der schon sehr seltene
Rana-Ridibunda, mach bitte nicht wieder irgendeinen
albernen Prinzen daraus!«

»Herrlich wird das hier einmal, dort werden wir ein
schönes Chemiewerk hinstellen, hier den Schnellen Brüter
und dazwischen die achtspurige Autobahn!«

»...da flohen die Räuber in großer Furcht...«,
aber leider nur im Märchen.

Goethe-Jahr, Luther-Jahr, Wagner-Jahr

»Man will eben auch die Jugend für den
Dichterfürsten begeistern!«

Mai 1983: Helmut Kohls Regierungserklärung
verbreitet unverbindlichen Optimismus.

»Mein Vater, mein Vater, jetzt faßt er mich an…«

Mai 1983: Frei nach Goethe, »Der Erlkönig«.

Wittenberg 1983

März 1983: Anläßlich des Luther-Jahres wird Martin Luther
auch vom SED-Regime vereinnahmt.

»Guck mal, Richard, wieder eine Neuinszenierung
zum Wagner-Jahr!«

»Wollen wir das ›Rheingold‹ nun zeitgemäß
inszenieren oder nicht?!«

Fehlprognosen

Juli 1982: In der Union melden neben Helmut Kohl auch
Ernst Albrecht und Gerhard Stoltenberg ihr Interesse
an einer Kanzlerkandidatur an.

»…ich fürchte, Ihr Leonardo ist auch
nicht ganz echt, Herr Nannen.«

Mai 1983: Die vom »Stern« veröffentlichten Hitler-Tagebücher
erweisen sich als plumpe Fälschung.

Marsch auf Bonn

Februar 1983: Strauß erobert Bonn ebensowenig
wie Hannibal Rom.

Aus dem Skizzenbuch

Biographie

Geboren wurde Horst Haitzinger am 19. Juni 1939
in Eferding/Oberösterreich. Seine künstlerische
Ausbildung begann mit einem vierjährigen Studium
der Gebrauchsgraphik an der Kunstgewerbeschule
in Linz an der Donau. Anschließend folgten zwölf
Semester Malerei und Graphik an der Akademie der
bildenden Künste in München.
1958 erscheinen die ersten politischen Karikaturen
im »Simplicissimus«; von diesem Zeitpunkt an war
Haitzinger ständiger Mitarbeiter dieser Zeitschrift.
Seit Abschluß des Akademiestudiums ist Haitzinger
freiberuflich tätig als Maler und Karikaturist für
mehrere bekannte Zeitungen und Zeitschriften in
Deutschland, Österreich, in der Schweiz, den USA
und in England. Seine Zeichnungen und Ölbilder
(phantastischer Realismus) und seine politischen
Karikaturen werden auf zahlreichen Ausstellungen
im In- und Ausland gezeigt. Haitzinger lebt und ar-
beitet in München.
Seit 1972 erscheint jährlich eine Zusammenstellung
der besten politischen Karikaturen des Jahres als
Sammelband im Bruckmann Verlag, München.